DU NERF

☆*m*

Entre Fantoine et Agapa, nouvelles, 1951.
Mahu ou le matériau, roman, 1952.
Le renard et la boussole, roman, 1953.
Graal Flibuste, roman, 1956.
Baga, roman, 1958.
Le fiston, roman, 1959.
Lettre morte, théâtre, 1959.
La manivelle, théâtre, 1960.
Clope au dossier, roman, 1961.
Ici ou ailleurs, théâtre, 1961.
Architruc, théâtre, 1961.
L'hypothèse, théâtre, 1961.
L'inquisitoire, roman, 1962.
Autour de Mortin, théâtre, 1965.
Quelqu'un, roman, 1965.
Le Libera, roman, 1968.
Passacaille, roman, 1969.
Identité, théâtre, 1971.
Abel et Bela, théâtre, 1971.
Fable, récit, 1971.
Paralchimie, théâtre, 1973.
Nuit, théâtre, 1973.
Cette voix, roman, 1975.
L'apocryphe, roman, 1980.
Monsieur Songe, récit, 1982.
Le harnais, carnets, 1984.
Charrue, carnets, 1985.
Un testament bizarre, théâtre, 1986.
L'ennemi, roman, 1987.

ROBERT PINGET

DU NERF

LES ÉDITIONS DE MINUIT

L'ÉDITION ORIGINALE DE CET OUVRAGE A ÉTÉ TIRÉE
A SOIXANTE-DIX EXEMPLAIRES SUR VELIN CHIFFON DE
LANA, NUMÉROTÉS DE 1 A 70 PLUS SEPT EXEMPLAIRES
HORS COMMERCE NUMÉROTÉS DE H.-C. I A H.-C.VII

ISBN 2-7073-1326-2

1

Avec cette plume au bout de l'aile ou ce qui en reste.

Faire quoi ? Réponse déjà formulée. Par qui ?

Monsieur Songe n'ose plus se nommer. Il signe ses lettres d'une croix. Mais ses notes pas besoin. Et la machine remarche.

A quand la fin de cette comédie.

Mais le monde existe. Le cœur itou.

Manœuvrer en sorte que...

2

Le cœur itou. Mais morcelé. Ici, là, en tel autre cœur, en tel autre, en tel lieu, en tel autre.

Ce qui en reste sous les côtes rassemble

la nuit ses morceaux dispersés. Au point du jour c'est l'écartèlement.

3

Décidé contre toute attente de continuer à respirer. Tricherie ? Question pas de son ressort. Ou si oui abandonnée.

Avec cette plume donc il poursuit l'inventaire de ce qui ne lui reste plus à dire.

4

N'importe quoi. Le mot car, le mot ou, le mot si.

Exemple.

Si on lui prête du désespoir il s'en moque. Sait ce qu'il doit savoir.

5

Le revoilà l'ami tant désiré. Ce cahier à noircir.

Bien réfléchir entre les lignes pour en faire du solide. L'heure est grave.

Au mot grave il regimbe. Qu'est-ce qu'elles me veulent encore ces heures à venir ? N'y aura de drame qu'inventé de toutes lettres, à mon gré, je veux être libre.

La liberté s'écrit, pas d'autre liberté qu'écrite.

6

Un petit rien, un semblant de schéma, disons trois lignes à développer plus tard. Sous quelle forme ?

Pris au piège de sa décision.

Une phrase. Pas d'échappatoire.

Dire je suis là. En souhaitant n'y être plus.

7

Phrase entendue ou de son cru ?

Kif-kif. Les phrases comme les idées du vieux philosophe préexistent dans des limbes anonymes. Qui se targue d'innover déraisonne.

Converser dans le demi-jour, entre chien et loup.

8

Il dit à son ami puisque je recommence à noircir mon cahier il me faut aller vite pour profiter de l'élan qui me porte à inventorier ce qui ne me reste plus à dire.

L'autre répond pas question de vitesse. Question d'attention. J'ai le sentiment que ce qui ne te reste plus à dire, formule d'ailleurs malhonnête, est si pressé d'être dit que tu tombes dans le panneau. Laisse courir ta plume si tu veux mais ne cherche pas à la gagner de vitesse. Nous avons tout le temps de réfléchir à l'impossibilité... l'impossibilité... d'exprimer ce qui devant rester sans voix... ne peut en aucune façon... Bref il te reste à traîner le boulet. La chaîne et le boulet.

Répéter chaîne et boulet. Ça vous donne des ailes.

9

Rien. Que le souvenir de ce qu'on a aimé.
Par insouciance, légèreté, jeunesse.

Tout à reprendre. Vieille formule, vieux
filon.

Cette table, cette plume, ce papier.

Une description.

Mais on ne décrit que ce qu'on ne voit
pas. Condition requise, insouciance, légèreté, jeunesse.

Même le souvenir se dérobe.

10

Quelqu'un reparle de désespoir.

Il répond tant bien que mal à ce quidam
qui n'a pris corps que sous sa plume.

Que dites-vous encore cher quidam ?

La plume est tombée.

11

Dans les collines de chênes-lièges et d'arbousiers monsieur Songe se promène comme avant.

Serrement de cœur. Pourquoi ? Qu'est-ce qu'un vieil homme ? Les chênes-lièges ont la vie longue et l'arbre de Virgile une bien belle histoire.

12

Il y avait un bateau pour les îles.
N'embarquait que passagers sans ticket.
Les prévoyants laissés sur la rive.

13

La nature la nature, quoi la nature ?
Plus loin en serez mieux vous vaudra.

14

Que dites-vous de, que pensez-vous de ?
Question d'un ami ou d'un adversaire ?
Réponse variable.

15

Il va jusqu'au bout du pré, tout guilleret.

Mais comment en revenir ? Le pré est devenu bourbier.

Tous les ponts qu'il invente conduisent au précipice.

Ou bien.

Pitié qu'on ne puisse d'un même pied passer d'une rive à l'autre.

Qui parle d'autre rive ?

Le torrent soudain devant soi.

16

Sincérité et littérature sont deux.

Faire du mensonge sincérité est la souffrance d'un petit nombre d'élus.

17

Quand tout à coup les portes se sont fermées.

Spectacle désormais à l'intérieur.

L'âge vous joue de ces tours.

Monsieur Songe tremble de n'être plus d'humeur à animer le jeu.

18

Le bonheur régit l'imparfait.
Et aussi.
S'interroger sur la nature du bonheur ferait plutôt pleurer que sourire.

19

Il dit je ne décollerai pas de ma table avant d'avoir écrit trois lignes.
Il est là, là, il tient cette plume qui écrit plume, ici, là, ne la lâchera pas, écrira qu'il écrit, ici, là, j'écris, quoi, ça, n'importe quoi, rien, stop, gagné.

20

Il serait piquant de faire son autoportrait en le signant d'un autre nom. Pour dérouter les amateurs futurs et dégoûter les portraitistes de leur talent de faussaires.

21

Proposez-leur un texte incompréhensible ils y découvriront leur propre génie.
Ou bien.
Liberté sur la page. Les mots s'alignent au gré de la plume. Défiez un imbécile de trouver un sens à n'importe quel alignement il le trouvera, confiant dans son génie.

22

Il dit je suis malade, je ne sais d'où, mais très.
A quel point d'ignorance atteindre pour savoir enfin d'où me vient mon mal ?
Romantisme éhonté.

23

Une pensée ne peut être juste que mal

formulée, disons maladroitement. C'est dans le manque ou le défaut que se cache la vérité à découvrir. Le chercheur le sait, il se méfiera toujours d'un énoncé trop clair.

24

Lorsqu'il a quitté avant l'heure, prétextant son âge, sa fatigue, n'importe quelle assemblée monsieur Songe peut être sûr ensuite de le regretter.

La prison de sa chambre le retrouve à chaque fois plus vieux et désemparé.

25

Défaut de l'automne, venir après l'été et annoncer l'hiver. Saison de l'inconfort.

Se demander si ce n'est pas justement le temps propice à la réflexion.

26

Il dit qu'il se moque des profondeurs,

seules l'amusent les rencontres de mots. Si elles débouchent sur des gouffres il n'y est pour rien.

Ou bien.

L'attrait des profondeurs lui fait assembler des mots qui ne demandaient qu'à le voir trembler.

27

Ils veulent des histoires, ne comprenant pas qu'elles les mènent à la mort. Quelle différence entre un H et un h ?

Un vers suffit à arrêter l'horloge. Un petit temps.

28

Lui faire imaginer un voyage pour changer d'atmosphère. Qu'est-ce qu'il lui viendrait à l'idée ? Constantinople ? Les Pyramides ? La forêt vierge ?

Il se relit et dit étrange étrange, voilà que je suis un tiers qui me fait imaginer ce qui me viendrait à l'idée. Par quel tour de passe-passe ?

Des mots toujours.

29

Il devrait se reprocher de ne pas aborder dans son journal de sujets un peu graves mais il ne se le reproche pas car il n'est pas lui-même dans son journal mais un autre qui l'observe avec ironie.

Il ne peut écrire je sans immédiate substitution.

30

Pourrait s'ajouter à ces deux monsieur Songe un troisième, de nature équivoque, malfaisante.

Qu'est-ce qui le fait pressentir à celui qui écrit ? Une ombre entr'aperçue à de certains moments. Elle l'effraie, il ne la situe pas, elle est furtive.

Naguère surnommée l'ennemi par dérision ou par faiblesse mais avec l'âge innommée pour la conjurer, ne pas lui donner prise.

Que faire d'elle ? L'ignorer ?

Mais quelle garantie qu'elle ne prenne corps ?

C'en serait fait des moments d'accalmie, des petites notes au coin du feu.

Que faire d'elle ?

Chasser cette hantise.

31

Devenir célèbre, devenir riche ou devenir saint ?

Question délibérément mal posée.

32

Ces aphorismes m'ennuient qu'il dit à Mortin. Le genre faiblard que je déteste. Comment continuer sans dégoût ?

Mortin répond depuis le temps que tu me bassines avec tes dégoûts je n'ai qu'une chose à te répéter, développe, développe. Et

si tu n'as plus rien dans le crâne énumère ce
qui n'y est plus.

33

Développement envisagé.
Plus de table, plus de lit, plus de maison.
Un coin de rue. Vide. C'est dimanche.
Il est assis par terre, pelotonné contre un
mur.
Quelqu'un passe et lui donne deux sous.
Une conversation s'engage.
Une conversation s'engage...
Allons, du nerf...

34

A force de ne pas dire ce qu'il avait à dire
il se trouve des raisons d'être honnête. Mais
très mauvaises.

35

Au sujet de leurs lectures tels fervents de

la littérature développent des considérations si savantes qu'on s'émerveillerait peut-être de leurs propos sur une chanson comme Au clair de la lune.

Signifierait que quel que soit le texte proposé il recèle de mystérieuses richesses.

Mais ne seraient-elles pas d'abord en eux-mêmes ?

Autrement dit un imposteur ne pourrait sans offense ni citer ni chanter Au clair de la lune.

Mais attention, un enfant le peut.

36

Revu la gardeuse de chèvres à la lisière de la forêt parmi les fougères fanées. Vieille gardeuse, ses chèvres suie et cendre.

Suie et cendre.

Mais au lieu de spleen une pointe comme d'un petit bonheur d'un sou. Par quel prodige ? Peut-être le mot gardeuse ou le mot fougères ou le mot cendre.

37

Il lui suffit de reprendre cœur à l'ouvrage et de se le dire pour que le lendemain le cœur n'y soit plus.

38

Note d'ensemble.

Reprendre telle phrase ci-dessus qui paraît moins insignifiante que le reste et la développer, lui donner compagnie de quelques lignes et progresser ainsi afin de donner à l'ensemble un air d'unité sans pour autant savoir quelle signification il aura ni même si la soudure tiendra.

39

Si le narcissisme n'était pas un vice tout le monde serait poète.
Ou bien.
Si le narcisssisme était un vice il n'y aurait pas de poètes.
Ou bien.

Le narcissisme étant un vice il ne donne une fleur qu'en échange de la mort.

40

Sa nervosité est telle que le moindre pépin qui lui tombe dessus prend des proportions intolérables. Il se demande alors s'il ne ferait pas mieux de renoncer à toute vie sociale et de se réfugier au coin de son feu sans en plus bouger, avec pour seule compagnie sa bouteille de gniole.

Il s'en ouvre à Mortin qui répond illico vieux salopard tu sais parfaitement que ce genre de lâcheté ne t'est pas permis. Si ta nervosité augmente prends un calmant et tu verras les choses avec plus de sérénité, tout ira mieux.

Il réplique depuis vingt ans j'ingurgite un calmant qui ne me sert qu'à me rendre de plus en plus noireux. La bouteille au moins a l'énorme avantage...

Coupé par Mortin qui répète vieux salopard et cætera, à nos âges on doit se raisonner, méditer. La mort et la souffrance partout, tant que nous en sommes épargnés voilà de quoi rendre grâce au ciel.

On dit ça dit monsieur Songe, on dit ça jusqu'au jour...

41

Une personne assignée au tribunal pour avoir montré son derrière par la fenêtre de sa chambre développe le jour de l'audience des arguments de défense tellement insoutenables que toute l'assistance, juge compris, se déculotte.

42

Se répéter sur le conseil d'un grand psychologue que le paradoxe est notre bien le plus précieux.

Et aussi.

Alignant ses petits paradoxes monsieur Songe s'amuse à n'en pas croire un mot.

43

Développement envisagé. Suite.

Monsieur Songe assis par terre.

Le passant lui donne deux sous et lui demande par exemple y a-t-il longtemps que vous attendez là ?

Il répond oh oui mais ne vous inquiétez pas, je ne suis pas sans ressources mais je m'ennuie figurez-vous tellement que l'idée m'est venue de me blottir ici et d'attendre qu'il m'arrive quelque chose.

Le passant s'étonne, lui offre une cigarette et le questionne encore.

44

Nourrir son texte de réflexions sur l'œuvre des anciens. Cela implique lectures et relectures.

Fatigue.

Ou bien.

Le goût des livres lui a tellement passé qu'il rêve d'une bibliothèque remplie de papier-c...

Sans détruire la sienne bien sûr.

Ou bien.

Paresseux indécrottable il ne rouvre plus les grands livres et se persuade qu'évoquer entre deux siestes trois ou quatre souvenirs de ses lectures suffit à lui entretenir l'esprit.

Mais faute de mémoire les souvenirs s'estompent et il rabâche des lieux communs.

45

Désemparé par l'incohérence de ses humeurs il se demande si le poids de l'ennui peut balancer celui de l'angoisse.

Mais que la réponse soit oui ou non...

46

Détraquer le mécanisme de l'horloge pour sauter de neuf à quinze puis de quinze à vingt-quatre.

Plus simple de bazarder l'horloge mais elle a tant de souvenirs dans le boîtier que le vieux la garde comme s'il se souciait de ceux qu'il croit avoir lui-même dans le crâne.

47

Histoire de rire intituler ce cahier Renouveau. Rengaine qui ne trompera personne.

48

Développement envisagé. Suite.
Autre question du passant.
Que pourrait-il vous advenir d'heureux ?
Il répond je ne vois plus très bien, quelque chose qui ressemblerait peut-être j'allais
dire à une pâquerette. Mais on retomberait
dans le renouveau et ça voyez-vous...

49

Développement autre.
Le revoir dans la rue. Tôt le matin,
beaucoup plus tôt. Sommeil en fuite, tête
vide, cœur à l'envers. Avance à petits pas.
Ou que ce ne soit pas lui mais un autre
qui avance, un frère d'infortune, il l'imagine
dans le froid du matin, petits pas, tête vide,
cœur à l'envers.

Comment savoir lequel des deux ?

50

Se contredire est la seule source de joie qu'il ait trouvée dans son travail de forçat pour parler juste.

51

Le désordre est le champ des possibles qui dérangent notre train-train.
Belle conquête qu'un espace mental de zéros bien en place.

52

Si l'érudition pouvait suppléer l'intelligence quel paradis seraient les lieux où la culture est à l'honneur.

53

Un coup de rouge le soir et voilà monsieur
Songe plein de ressentiment envers le
monde entier.

Mauvaise nature.

54

Il dit à Mortin tout ce temps que j'ai mis
à rédiger mes Mémoires me fait peine. Quel
profit en ai-je tiré ? Je m'adressais en pensée
à des neveux imaginaires, j'espérais renouer
avec des souvenirs qui ont ranci, j'escomp-
tais une manière de survie avec ces feuillets
qui ne m'ont conduit qu'au bord de la
tombe, j'envisageais...

Interrompu par Mortin qui dit qu'est-ce
que c'est que cette salade ? Tes pseudo-
neveux se souciaient de tes écrits comme de
leur première culotte, ta solitude vouait tes
souvenirs à ce qu'ils sont devenus, quant à
ta survie laisse-moi rire, comment la faire
dépendre de ta vanité ?

55

L'avant-garde en art c'est revenir aux principes de base. Ils sont très simples et peu nombreux. Déplaisent aux gens qui se piquent de science.

56

Abuser de l'irrationnel c'est le ruiner.
En user avec escient.
Ou bien.
La déraison n'est sublime que sévèrement raisonnée.
Voir don Quichotte.

57

Développement. Suite.
Ou bien il marche ou bien il est assis à un coin de rue.
Pourquoi se fatiguer à choisir.
La fable continue sans repères, monsieur Songe est ailleurs depuis toujours. Qu'on lui fiche la paix.

Ou bien.

Il redoute tant qu'on lui fiche la paix qu'il prie la muse des imbéciles d'être plus bavasseuse que jamais.

58

Vouloir se défaire de ses hantises est salutaire pour autant qu'on sache devoir y revenir.

Sophisme ?

59

Vie sociale bénéfique si solitude nécessaire.

Poncif.

60

Frivolité des exercices de style.

Le grand style est tyrannique. Ne vise qu'à se mortifier.

Exemples siouplaît.

61

Pour faire durer la belle saison trois mots sur le beau temps dans son cahier.

Tous les étés réfugiés là.

62

Don des larmes. Joie.

63

Développement. Suite.

Ou alors le voir en même temps assis par terre et marchant dans la rue.

Le passant qui l'aborde dans la première version serait lui-même.

Un tas de niaiseries psychologiques s'ensuivraient dans la conversation pour aboutir au cauchemar.

Cas bien connu de la pathologie.

Or l'imaginaire de l'artiste ne ferait rien d'autre qu'évoluer dans ces parages-là mais ses créations ne s'embarrassent jamais ni de diagnostic ni de remède.

Au travail. Déclic. L'inspiration rapplique comme un chien.

Mortin rigole. Il y a des chiens galeux et le tien cher ami...

Monsieur Songe ne désarme pas. Je m'en balance tu entends ? J'énonçais ça comme un principe à l'usage... des malentendants.

Mortin lui dit va falloir envisager d'écrire jusqu'à la fin de tes jours.

L'autre a un mouvement d'humeur, de quoi je me mêle, est-ce ton affaire ? Puis il ajoute la question du reste ne se pose pas encore. Le vrai hic pour l'heure est de savoir s'il me faut continuer dans le genre aphorismes et maximes qui m'embête.

Il relit tout ce qui précède. Que faire de ces bribes. Comment les relier entre elles. Tâcher de les utiliser pour élaborer quelque chose de suivi ou de vaguement homogène ? Une manière de roman raté d'avance ou disons rattrapé ? Quel ennui.

Mais n'ayant jamais su s'il faisait les choses par plaisir, par devoir ou par habitude il dit tant pis, laissons faire ce qui se fait sous cette plume au bout de l'aile ou ce qui en reste. Tiens j'ai déjà entendu ça quelque part.

66

D'ailleurs qu'est-ce aujourd'hui qu'un roman ? Des histoires de couchage, de famille, d'ambition ou d'argent. Quel intérêt ? Pris dans ces misères quotidiennes nous devons en sortir sous peine de mort. Elle mérite mieux que ça.

67

Au marché il regarde attentivement les légumes d'un étalage, épinards, carottes et cætera, il en cherche le prix qui n'est pas affiché. Le demande au vendeur qui répond tout dépend de vous cher Monsieur, il y a un rébus à déchiffrer, comptez les lettres des noms de ces produits, intervertissez-les, faites vos expériences, changez de point de vue, bref secouez vos méninges, la solution existe, indépendante d'une misérable étiquette.

Est-ce que ce type est fou se demande monsieur Songe.

68

Sur un autre étalage de primeurs il voit écrit kumquat, kiwano, karambol. Il demande à la marchande à quoi ça rime. Elle dit à ça en lui montrant des fruits bizarroïdes. Il marmonne encore de l'exotique. Elle répond pas plus que vous.

Décidément j'ai bien à apprendre pense monsieur Songe une fois chez lui. La politesse d'abord car c'est moi qui ai provoqué la réponse, ensuite à me renseigner sur toutes les nouveautés qui pullulent aujourd'hui chez nous dans tous les domaines. Comment faire ? Voyager ? Lire ? Converser ?

Il n'a pas le cœur à choisir.

Ce n'est que dans la nuit, ne trouvant pas le sommeil, qu'il pense non je n'ai plus rien

à apprendre j'ai à... j'ai à... comment dire...
j'ai à...

Et le voilà qui ronfle.

69

Dictionnaire muet sur correcte orthographe kumquat, kiwano, karambol.

70

Fourvoyé un jour dans une assemblée d'explorateurs et d'érudits il perd le fil des conversations qui roulent sur des îles lointaines, des sujets d'histoire, de civilisations, de progrès scientifique.

Bientôt submergé il reste dans son coin à sourire d'abord puis à rêvasser avant de s'endormir.

Quand soudain il rouvre l'œil et fixe sur la paroi d'en face un portrait d'ancêtre qu'il croit lui avoir adressé la parole. Il se fait un devoir de répondre quelque chose comme je vous comprends cher Monsieur, nous sommes de notre époque et tous ces jeunes énergumènes...

Assez fort pour que toute l'assemblée se retourne sans qu'il s'en doute. Il continue de converser avec le défunt et le maître de maison s'approchant de lui murmure hélas ce doit être une attaque.

On s'empresse autour du vieillard, on veut l'étendre sur un divan mais il réagit, non non ne vous inquiétez pas, je trouvais au personnage qui est là-bas une ressemblance avec un de mes amis, quelque chose dans le regard ou dans le maintien...

N'empêche qu'on le raccompagne chez lui et que son domestique le sermonne, j'avais bien dit j'avais bien dit, Monsieur n'est plus d'âge à faire le mondain, que ce soit la dernière fois, la dernière.

Mais il y aura d'autres fois et d'autres surprises du même genre.

Qu'on appelle ça comme on voudra.

71

Quelqu'un lui dit le matin me remettre d'un mauvais rêve me dure aussi longtemps que de m'endormir le soir. Les bonnes heures d'intervalle sont courtes.

Monsieur Songe cherche que répondre d'affectueux, il ne connaît ni le cauchemar ni l'insomnie. Il improvise une phrase si maladroite que l'autre ne peut que retomber dans sa peine.

72

La grande joie est partie pour ne plus revenir.

Genre de phrase à ne pas répéter à l'insomniaque.

Elle faisait autrefois l'affaire de monsieur Songe qui l'avait produite à son usage mais qu'aujourd'hui il s'efforce d'oublier.

73

Alors ce roman lui demande Mortin.

S'il doit se faire ce sera sans moi qu'il répond. J'ai fini par admettre que j'étais le jouet de mon inaptitude. Tu ne trouves pas cette formule remarquable ? Moins je me comprends plus je m'approuve.

74

Tracassé quand même par cette affaire d'ouvrage d'un seul tenant il se demande s'il y aurait lieu d'établir un plan ou du moins de fixer un cadre où évolueraient par-ci par-là les entités qu'il manipulait dans ses Mémoires telles que neveux, secrétaires, domestiques, voisins, vieux camarades ou maîtres de maison. Se replonger dans l'atmosphère du bon vieux temps où il y croyait encore et qui l'a amené peu à peu à ne plus y croire ?

Non.

Hasard ou inaptitude, tel sera le gouvernail du rafiot qu'est devenu ce cahier.

75

Jouer avec le feu qu'est-ce que ça veut dire ?

Ça ne veut rien dire, ça se paie.

Pas mal d'artistes, de fous et de saints en ont fait l'expérience.

76

Sa bonne lui disait dans le temps à la saison des prunes oh vos confitures je ne les fais ni par plaisir ni par gourmandise, je les fais parce qu'il faut.

Ce souvenir amuse le vieillard, il a noté quelques paragraphes ci-dessus le même genre d'observation à propos d'autre chose. Qu'est-ce que c'était ?

77

Elle lui disait aussi Monsieur me reproche tout le temps d'être sale, de ne jamais nettoyer dans les coins. Mais moi je fais ce que je peux, j'ai ma conscience pour moi. Et puis je me demande des fois si les personnes qui s'agitent à nettoyer, essuyer, épousseter, balayer partout ont leur bonne conscience, la bonne conscience dans les choses importantes de la vie, que je cause.

Il ne savait que répondre et lui assenait ça vient tout droit de derrière les vaches et ça prétend vous donner des leçons.

78

Mortin lui dit tu ne feras pas école en publiant ce cahier, pauvre vieux.

Moins bête qu'on ne pense le vieux répond eh bien je l'intitulerai Déconseils à un jeune poète, en souvenir d'un grand écrivain à qui ses lecteurs doivent s'ils sont honnêtes de rester fidèles à eux-mêmes.

79

Il se demande s'il a dit bonjour tout à l'heure à sa voisine lorsqu'il arrosait ses tomates. Impossible de se souvenir.

Il retourne donc à ses tomates non loin du clos de la voisine qui arrose les siennes et crie bonjour comment va ?

La bonne femme répond pas plus mal qu'il y a cinq minutes, c'est-il que j'ai l'air malade ? Vous me faites peur.

Monsieur Songe s'enferre, il bafouille oh pardon j'avais cru voir votre fille, elle vous ressemble tellement.

Ma fille ? Quelle fille ?

Bref la voisine sait à peu près à quoi s'en tenir.

80

Lundi ranger bibliothèque.
Mardi acheter sucre.
Mercredi écrire Machin.
Jeudi téléphoner dentiste.
Vendredi tailler haie.
Monsieur Songe hésite à imaginer quelle vilaine main écrira tel autre jour lâcher la rampe.

81

Il aurait bien du mal à parler de son enfance.

Parce que le paradis n'est pas de la littérature. Et vice-versa.

D'ailleurs la question ne se pose même

pas puisque la substitution ci-dessus signa-
lée s'impose d'emblée.

Les enfants évoqués dans ses Mémoires
ne lui ressemblent en rien.

Ça n'empêcherait pas un psychologue de
le retrouver en chacun d'eux probablement.
Mais qu'il serait loin ce spécialiste du mouvement qui l'a fait lui, vieux scribouillard,
aborder le sujet.

A reprendre. Analyse grossière.

82

Il dit tiens aujourd'hui je me sens moins
mal que d'habitude. Qu'est-ce qu'il m'arrive ?

N'ayant même pas l'idée de chercher plus
loin que son estomac il tâche de se rappeler
ce que la veille il a absorbé d'inhabituel. Et
il tombe sur du pâté de lapin ou sur un bout
de parmesan. Ce qui le fait conclure à en
manger à chaque repas.

Ce qui bien sûr le rendra malade dès le
lendemain.

Il fait sa valise, il dit zut je pars.

La voisine le voit sortir ses bagages de-vant sa porte. Où allez-vous ?

Je pars, je pars, arrosez mon jardin.

Le taxi arrive, il emporte son client à la gare.

Dans le train il énumère tout ce qu'il avait à faire avant de partir, tout ce qu'il doit faire en arrivant là-bas.

Des difficultés s'interposent. Mal à la tête, mal au pied, écœurement. Et puis une grande lassitude. Il en vient à se demander ce qu'il fait dans ce train. Pas pris de billet à la gare, oublié son argent sur sa table.

Il interroge un monsieur à côté de lui. Savez-vous où nous allons ?

L'autre murmure le grand voyage mon cher, le grand voyage.

Pour conclure dire ou bien monsieur Songe se réveille en sueur, solution facile, ou bien continuer dans la difficulté, de lacunes en surprises, comme ça, pour passer le temps.

84

Un auteur incompréhensible à la moyenne du public c'est-à-dire jouant du paradoxe ou de la multiplicité du sens est immédiatement taxé d'absurde. Curieux retournement. L'absurde défini par son contraire.

85

De sa petite cuisine il passe à sa chambre. Puis soudain un pressentiment bizarre. D'autres pièces doivent prolonger son logement. Il ouvre une porte sur une autre chambre toute meublée puis une autre sur une autre puis une autre sur un grand salon puis une autre...

Jamais occupé ce somptueux appartement. Qu'est-ce que ça signifie ? Comment s'être contenté de deux minables pièces durant tant d'années ? Comment avoir oublié ses propriétés ?

Périodiquement il se pose la question. Qui lui expliquera ce phénomène ?

86

Il dort si fort qu'il lui arrive le matin de
se demander ce qui le tracassait tant la veille.
Et puis le mauvais souvenir revient.

87

On lui dit les pauvres gens qui n'ont pas
la foi, qui ne croient pas à la prière comment
peuvent-ils tenir le coup dans ce monde sans
pitié ?
Monsieur Songe n'aime pas trop s'aventu-
rer dans ce domaine mais il répond tout de
go suffit-il pas de prier pour eux ?

88

Pas impossible que s'occuper des autres
vous fasse vieillir moins vite.

Je vomis mes souvenirs dit monsieur
Songe. Surtout les bons qui font si mal.

90

Des paroles bien douces, bien pesées,
longuement réfléchies avant de les susurrer
à telle personne obstinée pour tâcher de se
la concilier.

Comme cracher en l'air.

91

Se préoccuper de l'effet qu'on fera, bon
ou mauvais, vanité.

Etre spontané, sans ombre.

Ou bien.

Viser à l'effet est toujours une erreur,
même au théâtre. Il faut improviser juste.
Pas donné à tout le monde.

92

De nouveau sur le chemin des collines grises. Outremer entre les chênes-lièges. Splendeur de l'arbousier.

D'une année à l'autre images superposées et confondues. Lesquelles, celles du moment ?

Inutile question du vieil homme. Paysage sans mémoire.

93

Il dit à sa nièce quand je suis seul toutes mes hantises rappliquent. L'âge, la maladie, la mistoufle, la mort, tout le tremblement. Alors je m'efforce de ne penser à rien. De rendre précieuse la minute présente. Tu te souviens ? Qu'est-ce que nous nous disions à ce sujet ?

La nièce ne répond pas pour la raison qu'elle est morte depuis longtemps.

94

Bonheurs furtifs. Un paysage. Un instant en ville.

Les faire durer coûte que coûte aurait dit la nièce. Se donner du mal à faire durer le bonheur tu ne trouves pas ça drôle ?

95

Solitude physique difficilement supportable.

Moralement toujours plus ou moins seul.

L'idéal, pouvoir s'isoler d'autrui sans pour autant en être séparé.

Monsieur Songe a du mal à rédiger ces quelques lignes. Il se dit si ma nièce était encore avec moi quel plaisir nous aurions à chercher ensemble nos chères définitions.

Qu'est-ce que tu racontes ? dit la nièce. Qu'est-ce encore que cette méchanceté ? Je t'interdis tu entends, je t'interdis.

Monsieur Songe est bouleversé. Suffisait de ne pas dire qu'elle était morte pour que sa nièce soit toujours là ? Que devient cette histoire de solitude physique ou morale ?

Des mots encore. Des mots trop vite dits.

Ma chérie je t'écoute. Nous allons peut-être trouver ensemble que la solitude n'est qu'un de ces mots-là.

96

Il s'ennuie tellement chez son cousin et le cousin tellement avec lui que sans un mot ils boivent ensemble jusqu'à ne plus pouvoir tenir leur verre.

97

Que faire de son cuir à partir d'un certain âge ? Encore des projets ? Il y en a de deux sortes. Ceux relatifs à une vie plus confortable. Ne valent rien. Ceux relatifs à plus d'activité. Excellents.

Monsieur Songe se demande... Non. Il sait que même voués à l'échec les seconds doivent être les siens.

98

Dans les moments creux de sa journée, de plus en plus nombreux, il rêve d'une vie idéale, débordante. Mais rêvée dans ces moments-là elle n'aurait même pas la chance de remplir une journée.

99

Afin de donner à ses notes un air de fraîcheur, il doit les travailler avec tant d'acharnement que fraîcheur lui est devenu synonyme de transpiration.

Ce qui ne veut pas dire que dans sa converse il pèse suffisamment ses mots pour que sa fraîcheur ne confine au bredouille-ment voire au gâtisme.

100

Un malchanceux lui confie que dans telle occasion officielle, renouvellement de passe-port ou autre, il dit être retraité. Si le fonc-tionnaire insiste il murmure j'étais artiste.

Monsieur Songe s'indigne et réplique rien n'excuse votre lâcheté, ni la malchance ni l'âge ni la fatigue. On n'abroge pas son identité.

101

J'ai payé mon tribut à l'amour à ses pompes et à ses œuvres dit monsieur Songe. Qu'est-ce qu'il me reste devoir ? Fidélité aux amis, à la famille, à mes aspirations d'autrefois. Bonne résolution.

Pas impossible que malgré lui il ne se rabatte sur sa promenade quotidienne et la tournée des bistros du coin.

La vita nuova...

Déjà dit.

102

Quoique déjà mort ailleurs deux ou trois fois il imagine encore son décès. Ça le requinque.

Vous savez qu'il vivait dans un taudis infect, une porcherie, pas de waters, faisait ses besoins partout, à peine si on a pu ouvrir sa porte après huit jours qu'on ne le voyait plus dans la rue, on l'a trouvé par terre le nez dans sa fiente, déjà raide et tout nu, tout nu vous m'entendez, j'ai fait déguerpir les enfants, est-ce un spectacle, ils revenaient de l'école, ils accouraient vu l'attroupement, comme des mouches ils s'entassaient dans la courette et dans le couloir, mon Dieu quand j'y pense et l'odeur l'odeur imaginez, comment s'est-il laissé aller ainsi est-ce chrétien lui qui se piquait de religion, tous les dimanches à la messe de dix heures, quel exemple pour les autres, si du moins il avait donné des signes de comment dit-on pour les fous maintenant psychi-psychose psychomatose mais pas du tout, raisonnait comme vous et moi et surtout pas gêné pour faire la leçon à ceux qui se conduisaient mal, ah on aura beau dire l'humanité quand elle descend la pente, notez je ne le juge pas, Dieu ait son âme ou ce qui en reste, ma fille me disait encore ce matin, vous savez qu'elle fait ses études chez les bonnes sœurs, oui elle aura son bac l'an prochain, une élève modèle, la première de sa classe, ce n'est pas parce que c'est ma fille mais vraiment la Mère supé-

rieure me disait, elle est encore belle femme
vous savez il paraît que toute jeunette on
trouvait que sa tenue... bref qu'est-ce que je
disais... oui ma fille me disait que Thomas
d'Aquin disait que l'âme c'est le corps,
quelque chose comme ça, eh bien si c'est
vrai vous imaginez le résultat pour notre
voisin ce déchet, encore une fois je ne le juge
pas mais il y a des limites tout de même.

103

Variante.
Oh vous savez les horreurs qu'on n'a pas
dites sur sa fin, tout le pays le détestait mais
pas un mot de vrai dans ces propos, jusqu'à
la dernière minute il a donné l'exemple de
sa noblesse d'âme, on l'a trouvé mort chez
un bûcheron de son domaine, il était venu
lui-même lui payer sa semaine sachant que
le vieux était souffrant et pouf le voilà qui
tombe sur le malade, mort subite, le fils qui
revenait des champs l'a soulevé et couché
par terre et il s'est occupé de son père qui
bredouillait c'est pas moi c'est pas moi,
ensuite toute la suite, gendarmerie, pom-

piers, docteur et puis voilà, c'est-il pas injuste de finir comme ça dans un geste de charité chrétienne, ah on a beau dire le mérite le mérite, comment peut-on nous en faire accroire là-dessus, un homme qui toute sa vie n'a pensé qu'à autrui, aux malheureux, aux oubliés, aux indigents, voilà pourquoi on le détestait, on le disait intéressé par Dieu sait quoi, leur extorquer ce qui leur restait ou jouer le bon apôtre, vous ne me direz pas que les gens ne sont pas des charognes, à propos de charogne la famille a voulu qu'on le transporte chez lui où toute la parenté est venue défiler pendant cinq ou six jours, cierges allumés autour du lit, pleureuses, curés et tout le fourniment, ça empestait tellement que les derniers arrivants se bouchaient le nez, est-ce qu'il n'y a pas des sanitaires ou comment ça s'appelle, un docteur pour une piqûre détergente mais non ils n'avaient pas prévu, aujourd'hui il y a la loi des trois jours est-ce une loi je n'en sais rien, tout ce que je sais c'est que Monseigneur est venu en personne pour l'enterrement, l'office a bien duré deux heures avec musique, chorale et tout, le jeune Tourniquet flûtiste a joué le morceau préféré du défunt une sonate accompagnée à l'orgue par mademoiselle Miaille, la pauvre vieille vous vous souvenez, paraît qu'elle a fait plein de fausses notes mais dans ces circonstances on ne pouvait pas lui jeter la pierre.

104

Noter la puanteur dans les deux versions.

105

Variante.
Oh vous savez une mort très ordinaire si on peut dire et ce ne sont pas les moins tristes, tout le pays l'adorait, on l'a trouvé endormi pour de bon dans son fauteuil, même qu'il tenait encore le Fantoniard notre quotidien, il s'intéressait à tout, intervenait au conseil communal, parcourait la région en voiture avec son brave chauffeur qui ne l'a pas lâché d'une semelle jusqu'au jour où la semelle... bref il était membre d'un comité pour la restauration des monuments ayant

fait ses études d'agrologie un nom comme ça, ça prend un temps fou mais il ne ménageait pas sa peine, son neveu m'a montré les carnets où il notait la moindre toiture abîmée, le moindre chapiteau rongé, le moindre trou dans une muraille avec les dates, des années et des années toujours avec son brave chauffeur comment s'appelait-il ça me reviendra, enfin on disait le brave chauffeur mais pendant que son maître déambulait dans un village pour observer l'autre avait repéré le bistro où il se rinçait la dalle et une fois reprise la voiture ils ont plusieurs fois été dans le fossé, tiens c'est le mécanicien qui pourrait vous en raconter là-dessus mais jamais d'accident grave, comme quoi la Providence veille à son bétail de choix, oui à l'enterrement il y avait tellement de fleurs on ne savait plus où les mettre, distribuées ensuite sur toutes les tombes du cimetière, je vois encore son neveu qu'il avait en affection particulière et je vous prie de ne pas croire ce que deux ou trois mauvaises langues disaient à ce sujet, je le vois encore tout en larmes derrière le corbillard, le pauvre avait oublié de poster un faire-part qu'il avait glissé sous le ruban

de son chapeau, ça faisait drôle mais personne n'a rien dit par respect et maintenant
le comité l'a engagé en souvenir de son oncle
pour la restauration mais d'après certains il
serait moins efficace qu'on ne voudrait, il y
a toujours malgré tout dans une population
des brebis galeuses, enfin c'est pour vous
dire que la mémoire de monsieur Songe
reste dans celle du pays, on parle même de
donner son nom à la rue Neuve, le maire est
en pourparlers à l'heure qu'il est.

106

Encore un coup puisque ça marche.
Oh sa mort mon Dieu presque touchante
on ne peut même pas dire triste moi qui
l'avais en affection bien plus que son neveu
qui jouait le bon apôtre le visitant chaque
semaine mais c'était contre remboursement
la petite frappe, il se moquait pas mal du
vieux mais de ses pépètes alors non, jamais
un sou vaillant, dépensait tout en folies-
bergères voyez ce que je veux dire, l'oncle ne
s'en doutait pas, croyait à un attachement
sincère et lui refilait chaque fois mille ou

deux mille balles, est-ce assez révoltant, les jeunes aujourd'hui sont comme ça, ne pensent qu'à leurs plaisirs, bien dans leur peau comme ils disent, est-ce que nous avons été bien dans la nôtre nous autres chevillés au devoir, au travail, à la morale, notez que ça peut leur retomber sur le coin de la figure, finiront plus mal que nous et ne l'auront pas volé, quand je pense à ce qu'il nous a fallu avaler de pépins et de fins de mois sans nous plaindre, eux prennent l'argent où il se trouve et vogue la galère, ça se paie des cures de relaxation chez des garous qui viennent tout droit d'Afrique où d'Azimut, le genre exotique est à la mode, et le genre de relaxation mieux vaut ne pas y penser quelle honte, tous drogués de surcroît, ne savent plus où ils sont, mendigotent à tous les coins de rue, est-ce une façon de vivre je vous le demande, moi je dis... qu'est-ce que je disais oui sa mort au pauvre homme il était figurez-vous place Clemenceau en train de donner du pain sec aux pigeons par un beau petit soleil du matin et pouf il pique du nez sur le trottoir, l'agent de la circulation l'a relevé, il ne pouvait plus parler, n'avait pas ses papiers sur lui, heureusement le boucher de la rue Surtout l'a reconnu, on l'a tout de suite transporté à l'hôpital où il est mort deux heures après, c'est mademoiselle Pisson son ancienne bonne qui me l'a dit, elle fait des heures de remplacement comme femme de charge aux urgences, elle était au courant des dernières volontés du défunt, paraît que tout l'argent, la villa, l'appartement en ville, tout vous m'entendez est allé au neveu qui a payé un enterrement de troisième classe avec un pot de cyclamen, j'en ai des haut-le-cœur quand j'y pense mais je dois dire que finir comme ça parmi les oiseaux du bon Dieu c'est une sorte de bénédiction, personnellement je n'aime pas les pigeons qui salissent tellement mais ce serait à choisir que...

107

Variante.
Oh sa mort que vous en dire on n'a jamais su ce qu'il en pensait, trouvait pour en parler telle formule un jour telle autre un autre, boutade, résignation, révolte, sophisme, espoir, n'importe quoi, à croire qu'elle ne le

concernait pas personnellement mais se confondait avec celle des autres, les proches, les amis, les inconnus, bref que pour être inévitable à chacun elle demeurait anonyme, indifférenciée, sans visage. Si bien que crainte de le trahir je ne ferai pas de commentaire.

108

Monsieur Songe est surpris de ce que vient de tracer sa plume et dit jamais je n'aurais dit ça.

109

Est-ce qu'on peut encore en remettre ?
Cette veine-là paraît fatiguée.
Tant d'années ont passé depuis qu'elle coulait de source, monsieur Songe est perplexe.
Que faire ?
Attendre.
Quoi ?

110

Les journées qu'il passe à se ronger les sangs au sujet de son devoir auraient eu raison depuis longtemps d'un honnête citoyen de sa génération.

Il conclut qu'il est malhonnête et s'en absout provisoirement.

111

A force d'imaginer comment parlent les gens car il ne voit plus personne il finira par user dans ses notes d'un langage incompris de tout le monde.

Ou bien.

A force d'éliminer dans ses notes tout ce qui lui rappelle le langage des gens il finira peut-être par être compris de tout le monde.

112

L'habitude n'est pas une seconde nature c'est une faillite de la première. Laquelle ?

113

Demander conseil à monsieur Songe sur un sujet ou sur un autre est périlleux. Le questionneur ne s'en doute pas vu l'air bonnasse du vieux mais il déchante vite car l'interrogé s'embarque dans des raisonnements qui n'ont rien à voir avec la question posée. Il tourne autour du pot crotté de ses propres interrogations qui sont et resteront sans réponse.

114

Plus diminue sa combativité plus augmente son agressivité.

115

On se passerait bien d'écrire si la nature nous avait doués de plus de clairvoyance. L'art ne nous sert que de collyre.
Faible.

116

Mot d'amour.
Nous étions faits pour ne pas nous entendre.
Littéraire.

117

Finira bien par être lui-même le ver qui bouffera sa charogne.
Peut se dire plus élégamment mais l'élégance dans ce cas-là...

118

Tout à coup monsieur Songe se trouve au sommet d'un pic élevé. Il domine un paysage de montagnes neigeuses éclatantes sous le soleil. Transporté d'admiration il donne un nom à chaque sommet, à chaque glacier, à chaque vallée. Moment très rare qu'il lui semble avoir vécu il y a des éternités. Rester là et y attendre sa fin.

Que signifie ce phénomène, est-ce un message, un présage ?

119

Plus on vieillit plus le temps passe vite, comme s'il nous refusait de compter sur lui.
La belle découverte.

120

Note d'ensemble. Suite.
Reprendre telle phrase ci-dessus...
Toutes lui paraissent fadasses.
Les formuler différemment ? Changer l'ordre des mots et compter sur un hasard providentiel, un regain d'intérêt pour ce pensum ?
Peu probable.
Se rabattre sur quoi ? Raconter ses rêves ?
Expédient usité par certains.
Ennui profond de qui les écoute.
Le seul rêve qui captive est le rêve éveillé, surveillé. S'appelle imagination.
Là est le hic.

Il dit eh bien allons-y pour le hic. Histoire d'étoffer ce cahier. Camper un monsieur Songe ailleurs que dans la rue ou au bistro. Un vieux guilleret, aisé, plein d'allant, d'entregent.

Ce qui revient à prier la muse des imbéciles mais puisqu'il le faut.

D'abord le voir bedonnant, gros mangeur, boute-en-train, agréable convive. La maison est pleine de monde un jour sur deux, il passe son temps à composer des menus pour régaler ses hôtes. Quels hôtes ? Des voisins charmants, des neveux enthousiastes, des étrangers de passage et leurs amis des quatre coins du monde.

Il faut que la bonne soit encore là et le fidèle serviteur et une perle de cuisinière.

Il faut un domicile rupin, des salons, une terrasse dominant les jardins plantés d'arbres séculaires. Et tout en bas du terrain en pente douce une rivière où naviguent des embarcations dont les occupants vous font de loin des signes d'amitié. On leur fait signe en réponse de débarquer et de se joindre à la compagnie.

Des précisions.

C'est justement l'heure du dîner. Des tables sont dressées sur la terrasse, on termine l'apéritif. Champagne. Conversation brillante, éclats de rire, bien-être général au coucher du soleil qu'on voit décliner entre les branches des cèdres et bientôt se noyer dans son sang qui se fige.

Attention réminiscences.

Le serviteur fidèle ou plutôt les, ils sont plusieurs, allument les candélabres parmi l'argenterie, les cristaux, les mets rarissimes et les vins capiteux.

Quels mets ?

Kumquat kiwano karambol.

Chacun sait ce que ça signifie et s'exclame mais c'est de la folie cher Monsieur.

Le cher monsieur répète mais non mais non, le genre exotique est à la mode, j'ai encore bien à apprendre, la politesse d'abord...

Une confusion là. A revoir.

Description des hôtes.

Hic à nouveau.

Du nerf.

Tous jeunes et beaux. Contraste des tenues de soirée des invités avec celle sportive et négligée des navigateurs. Très amusant.

Ah cher Monsieur votre convivialité, votre générosité, votre humanité, votre comment dire...

Comment dire en effet.

Comment dire.

La muse des imbéciles reste coite.

122

Monsieur Songe ayant accouché de ce qui précède regarde par la fenêtre de sa chambre. Il pleut sur les pruniers sans feuilles. Un canard détale à l'aboiement d'un chien. Pas âme qui vive sur le chemin qui mène au dépotoir.

123

Cette tentative d'étoffement guignolesque ne me reprendra plus dit-il.

Après l'heure c'est plus l'heure.

Et pourtant.

Et pourtant le carnet doit s'emplir faute de quoi monsieur Songe sombre dans la névrose.

Invoquer d'autres muses.

Y en aurait-il une du silence ?

Mais comment gagner sa faveur ? Par quelle grâce ?

Elle n'userait pas de vocables mais d'images, d'apparences, les communiquerait par une voie inconnue.

Monsieur Songe n'a jamais eu recours qu'aux mots, il se tourmente, se découvre soudain responsable de son ignorance.

Des soupirs ? Des sourires ? De quelle façon en faire du travail sur la page ?

Est-ce qu'elle n'incline ses élus qu'à la contemplation, à une prière sans mots ? Est-ce réalisable ?

Si oui la partie est perdue d'avance.

Plus de carnet, plus de notes. Une autre façon d'être à soi-même ce qu'on considérait comme un devoir.

125

Ne pas rester au bord de cet abîme.
Monsieur Songe n'a d'autre vocation que
celle d'écrire, tant bien que mal.
Il continuera coûte que coûte.

126

Développement. Suite.
Où en sommes-nous.
Plus de questions.
Réponse à cette plume.
Elle est bien épointée la pauvre.

127

Voici ce qu'elle propose.
Des gestes envers autrui.
Dépasser le quant-à-soi.
Prendre des nouvelles des gens, écrire des
lettres.
Ecrire des lettres. La panacée.
A qui ?
N'importe.

Il y aura toujours quelqu'un pour les lire ne serait-ce que dans un autre monde puisque aucune parole, aucune pensée ne reste sans écho, sans effet dans un univers de communion, le nôtre.

128

Et il se met à écrire des tartines aux affligés, aux indigents, aux malades. Une bonne douzaine qu'il laisse reposer quelques jours avant de les relire. Mais il les trouve alors tellement gnian-gnian que son quant-à-soi se rebiffe et qu'il les déchire.

Et il pense je ne suis plus maître de mes actes. Quelque chose de grave se trame contre moi.

Juguler le mal à tout prix.

129

De retour d'un voyage Mortin lui redemande alors cet écrit, qu'est-ce que ça donne ?

Ni fait ni à faire qu'il répond, c'est-à-dire

à refaire mais pas question, comme je te le disais un jour... qu'est-ce que c'était... rappelle-moi... je trouvais ça spirituel... mon inaptitude à être le jouet... mon aptitude à ne pas être le jouet...

130

Monsieur Songe ne lui souffle mot des lettres.

131

Son compère afin de lui venir en aide lui dit en somme pour donner corps à ton travail, en faire ce bloc compact que tu souhaites tant, pourquoi ne pas relier tout ça par une intrigue policière quelconque voire insoutenable mais qui accrocherait ton lecteur ? Par-ci par-là l'apparition d'un inspecteur, d'un vagabond, d'un cadavre, n'importe quoi, et faire passer tes propres élucubrations, ton baratin, tes maximes et autres sornettes dans la bouche de divers personnages interrogés par la police ou conversant simplement entre eux ? Là alors tu serais à couvert, irresponsable, libre de tout souci moral, philosophique, littéraire et cætera.

Il répond...

Qu'est-ce qu'il répond ?

132

N'empêche que la suggestion de Mortin lui ôte le sommeil la nuit suivante. Il se tracasse, se tourneboule, l'hypothèse lui paraît tour à tour insensée et séduisante, ridicule et ingénieuse, bref il boit son thé du matin sans avoir fermé l'œil, chose rarissime, avec un bon mal de tête.

Curieusement dans la journée il apprend que le maître d'école serait impliqué dans une affaire assez louche.

Il trouve confirmation de cette nouvelle dans le journal. L'instruction a dû commencer la semaine précédente alors qu'il était grippé et ne lisait pas le Fantoniard. Il y est question de cambriolage, de recel et même de meurtre à la suite de la disparition d'un enfant, le petit C. Pas d'autres précisions pour l'heure.

Monsieur Songe qui déteste ses conci-
toyens se promet de joyeuses semaines à lire
les comptes rendus de l'affaire et à les
commenter dans ses carnets.

Le voilà requinqué derechef.

133

Et puis il dit non, ces jeux-là ne sont plus
de mon âge, Mortin m'a mal conseillé, une
intrigue policière viendrait ici comme un
cheveu sur la soupe, je dois assumer le déclin
de mon imaginaire et faire avec.

Et puis il dit zut, on a le droit de s'amuser
à tout âge, Mortin a raison, une intrigue
policière pimenterait cet écrit mal venu,
redonnerait vigueur à mon imaginaire, sui-
vons l'affaire et à défaut de précisions que
toute liberté me soit donnée d'en inventer
pour le seul plaisir de défier mon déclin.

Au risque de tomber dans le ridicule mais
qu'ai-je à perdre ?

Redire défier mon déclin.

134

Or l'instruction progresse, on connaît maintenant les cambrioleurs du château de Bonne-Mesure, trois loubards surnommés Fio, Fian et Fion, le receleur Latirail et peut-être le meurtrier de l'enfant disparu.

Mais quel rapport entre le cambriolage et le meurtre précédé de viol ?

135

Des difficultés s'amoncellent à ce sujet au cours des jours suivants, l'instruction piétine.

Monsieur Songe pressent qu'il va lui falloir découvrir lui-même le lien fatal.

Il jubile à ce pressentiment. Se venger in petto de toute cette populace, quelle aubaine. Avoir été sa vie durant taxé de détraqué puis de sénile, était-ce un réconfort ?

Et puis un jour Mortin découvre par
hasard que son ami qui prétend acheter
quotidiennement le journal est en réalité
plongé dans la lecture de numéros datant de
quarante ans. La vieille affaire du cambriolage et du meurtre du petit C. peut y être
suivie de A à Z sans qu'il y manque un
détail.

Il se repent de son conseil, il se tracasse,
se tourneboule. Monsieur Songe ne lui en a
pas levé la langue. Que faire ? Le laisser
s'empêtrer dans cette lecture et y perdre le
peu d'esprit qui lui reste ? Risquer un grave
accident de santé ?

D'autre part le vieux lui paraît très en
forme ces derniers temps, joyeux, presque
intéressant dans ses réflexions sur le travail,
les habitudes, les petits riens...

Que faire, que faire ?

Il s'en ouvre au docteur, un vieux cama-
rade à tous deux qui lui dit ne te tourmente
pas, il n'y a aucun risque. Que notre ami soit
plongé même sans le savoir dans le passé et
qu'il en ressente le bienfait que je constate
aussi vaut mieux que de le voir se racornir

dans les misères du présent. Une chose est sûre, il n'abandonnera jamais ses carnets. Alors autant qu'il les noircisse avec plaisir. D'ailleurs n'ayons pas d'illusions, ça ne durera pas, il retombera un jour ou l'autre dans sa mélancolie et ses maximes godiches.

Ce qui laisse entendre que Mortin comme le docteur se doutent que monsieur Songe imbibé de sa lecture en tire dans ses carnets des prolongements sans rapport avec lesdites maximes.

137

En effet, merveilleusement affriolé par les comptes rendus du journal le vieux scribouillard note tous les noms qu'il y trouve rapportés, celui de mademoiselle Lorpailleur la maîtresse d'école, celui de Mahu le simple d'esprit, celui de Sinture le postier, et cætera, tout un petit monde plus ou moins impliqué dans le cambriolage et l'affaire C. Et mécontent des détails relatifs aux agissements de chacun il en fabrique de nouveaux qui remplissent trois carnets et aboutissent à la conclusion que le juge s'est trompé sur des points essentiels et a finalement condamné pour viol et assassinat un innocent romanichel.

Bref toute une littérature sans intérêt pour personne hormis son auteur qui bêtement un soir qu'il avait trop bu l'a fait lire à Mortin. N'est-ce pas étonnant qu'il lui dit, aurais-tu encore l'aplomb de me parler de mon déclin ? A quoi son compère répond il me semble que c'est toi qui en parlais la larme à l'œil. N'empêche que sans vouloir te faire de peine je trouve ça laborieux et y décèle je ne sais pourquoi un goût de réchauffé comme si... A vrai dire je préfère tes petites moralités quand elles sont bien troussées, ce qui leur arrive parfois.

Le pauvre Songe retombe alors dans sa mélancolie. Que faire, que ne pas faire, que devenir ?

138

Il interroge n'importe qui dans la rue, raconte son histoire, bafouille, bredouille, tombe de fatigue. L'interrogé qui se trouve être de l'Armée du Salut lui dit venez chez nous, vous y serez logé nourri et soigné comme votre état le réclame. Nous n'avons aucun préjugé, nous venons en aide à tous les malheureux.

On ne connaît pas la décision de monsieur Songe mais on espère qu'il finira paisiblement.

CET OUVRAGE A ÉTÉ ACHEVÉ D'IMPRIMER LE QUINZE
JANVIER MIL NEUF CENT QUATRE-VINGT-DIX DANS
LES ATELIERS DE NORMANDIE IMPRESSION S.A.
À ALENÇON ET INSCRIT DANS LES REGISTRES
DE L'ÉDITEUR SOUS LE N° 2500

Dépôt légal : janvier 1990